Büchersterne

Liebe Eltern,

Lesenlernen ist eine Meisterleistung. Es gelingt nur Schritt für Schritt. Unsere Erstlesebücher in drei Lesestufen unterstützen Ihr Kind dabei optimal. In den Büchern für die 1. Klasse erleichtert eine große Fibelschrift das Lesen, und der hohe Bildanteil hilft, das Gelesene zu verstehen. Mit beliebten Kinderbuchfiguren von bekannten Autorinnen und Autoren macht das Lesenlernen Spaß. 16 Seiten Leserätsel im Buch laden zu einer spielerischen Auseinandersetzung mit dem Text ein. So werden aus Leseanfängern Leseprofis!

Manfred Wespel

Prof. Dr. Manfred Wespel

Büchersterne – damit das Lesenlernen Spaß macht!

www.buechersterne.de

Mit Büchersterne-Rätselwelt

Paul Maar

Das Schul-ABC
Verse zum Mitraten und Mitreimen

Bilder von
SaBine Büchner

Verlag Friedrich Oetinger · Hamburg

Ich begleite dich
durch das Schul-ABC.
Wenn du gut aufpasst,
weißt du am Ende
auch, wie ich heiße.

Mutter sagt zu Anna: „Nein!
Ich pack dir keine Waffeln ein.
Obst zur Pause, das hält fit",
und gibt ihr einen **A**pfel ...

Bruno ist ein Kavalier.

Brittas Buch, das trägt er hier.

Er trägt das **B**uch bis vor das Haus.

Ihr Bruder lacht zum Fenster …

Claras Opa war in **C**hina.
Ihre Oma war noch nie da.
In China leben die Chinesen,
das kann man auch in Büchern ...

David kickt mit einer **D**ose.

Da fällt er hin – die gute Hose!

„So ein Mist!", ruft David noch.

Die neue Hose hat ein …

Der **E**ngel steht jetzt
auf dem Schrank,
sein Arm ist ab, er fühlt sich krank.
Und dann ist auch noch
vor zwei Wochen
sein linker Flügel abge...

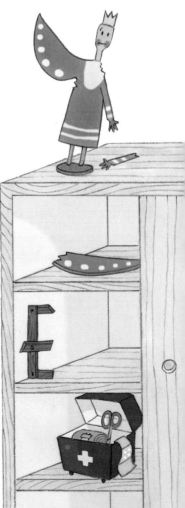

Freund, das heißt auf Englisch
friend.
Klar, dass Felix das schon kennt.
Weil seine Eltern schon seit Jahren
nach England in die Ferien ...

Wenn alle in der Reihe stehen,
kann man ihre **G**röße sehen.
Gabriel ist ziemlich klein.
Er möchte gerne größer …

Hannes, Liz und Hannah haben
Mühe mit den **H**ausaufgaben.
Liz schaut ratlos, als sie spricht:
„Die Frage hier versteh ich …"

Es gibt Inseln, dort im Meer,
oft bewohnt und selten leer.
Durch die Karte an der Wand
sind ihre Namen uns …

Jan trägt seine **J**acke immer,
auch im warmen Klassenzimmer.
Nur nachmittags, bei sich zu Haus,
da zieht er sie dann doch mal …

Kai und Katrin freun sich beide.
Sie malen gern mit bunter **K**reide.
Wenn sie dann nach Hause gehen,
kann man das Ergebnis …

Das Thema heute ist die **L**aus.
Das Tier im Buch
sieht schaurig aus.
Das Kämmen soll uns
gut bewahren
vor einer Laus in unsren …

Max hat eine Ledermappe,
Mias **M**appe ist aus Pappe.
Deshalb weiß ein jedes Kind,
dass Mappen ganz verschieden …

Will Nele richtig Flöte spielen,
muss sie auf die **N**oten schielen.
Solche Noten, die sind wichtig,
sonst klingt die Melodie nicht …

Nur kurze Zeit noch, aber dann fängt schon die **O**sterwoche an. Wir freuen uns aufs Osterfest und auf die Eier in dem …

Pepe hat sein Brot vergessen
und in der **P**ause nichts zu essen.
Sein Freund Leon
schenkt ihm seines
und sagt: „Dann isst du eben …"

Karl macht öfter dumme Sachen.
Er fängt dann an,
viel **Q**uatsch zu machen.
Alle lachen sich dann krank
und sitzen kichernd in der …

Bei **R**egen gehn wir nicht hinaus
und bleiben lieber hier im Haus
im schönen Klassenzimmer hocken.
Hier drinnen ist es warm und …

Großen Spaß macht uns
das **S**ingen,
man hört es durch das Schulhaus
klingen.
Wir singen gern und immer wieder
all die schönen Weihnachts…

Tinas **T**asche ist zu schwer.

Tina mault: „Ich mag nicht mehr.“

Tim kommt angerannt und schreit:

„Komm, wir tragen sie zu …!“

Im Klassenzimmer an der Wand
gibt eine **U**hr die Zeit bekannt.
Um zehn Uhr ist für alle Pause,
um ein Uhr gehen wir nach …

Der liebe **V**ater von der Jule
bringt Jule an der Hand zur Schule.
Am Schultor bleibt die Jule stehen
und sagt: „Ich will alleine …!"

Wenn der **W**ecker morgens klingelt
und Will sich aus den Decken
ringelt,
rennt er oft, vielleicht auch immer,
zum Waschen in das Bade…

Das **Xy**lofon, ein Instrument,
das in der Klasse jeder kennt,
hat oben hohe, helle, schöne
und unten tiefe, warme …

Zunächst mal lernen wir
die **Z**ahlen,
dann dürfen alle Kinder malen.
In den Minuten, die noch bleiben,

sollen wir mit Füller ...

Walli schreibt langsam,

Horsti, der schmiert.

Walli ist fertig,

Horsti radiert.

Der letzte Buchstabe

Das **Z** gehört **Z**um Alphabet,

auch wenn es gan**z** am Ende steht.

Am Ende steht es auch bei ,

bei Hol **Z** , bei ,

bei , bei Schmer**z**.

Doch manchmal, wie bei und **Z**orn,

da steht das **Z** im Wort ganz vorn.

Im weh oder kuchen

muss man das **Z** nicht lange suchen.

Dagegen wird es kaum entdeckt,

wenn es sich gut im Wort versteckt.

So bei den 15 schwarzen 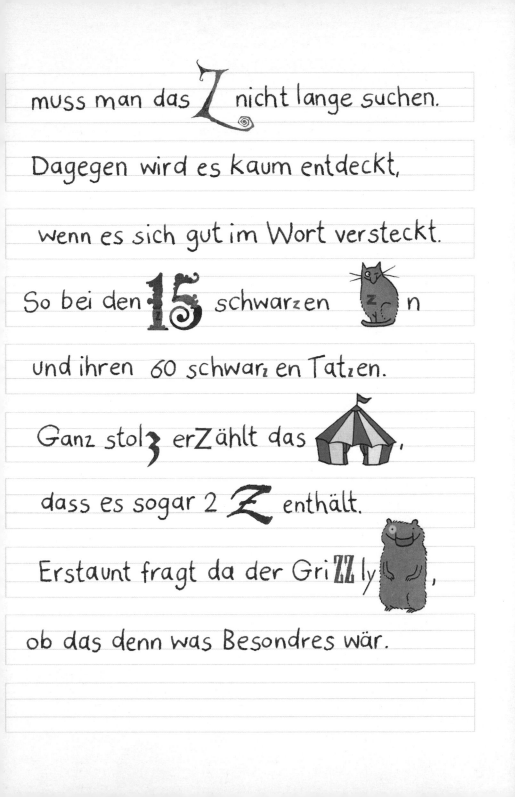n

und ihren 60 schwarzen Tatzen.

Ganz stolz erzählt das 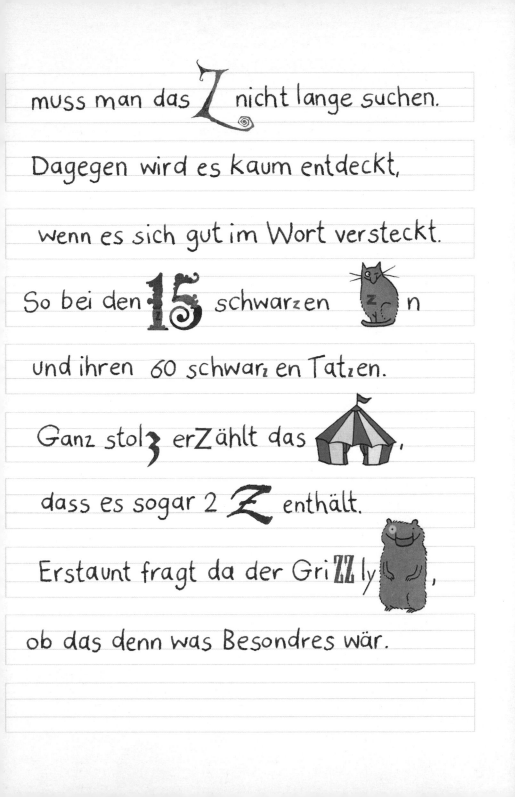,

dass es sogar 2 **Z** enthält.

Erstaunt fragt da der Grizzly 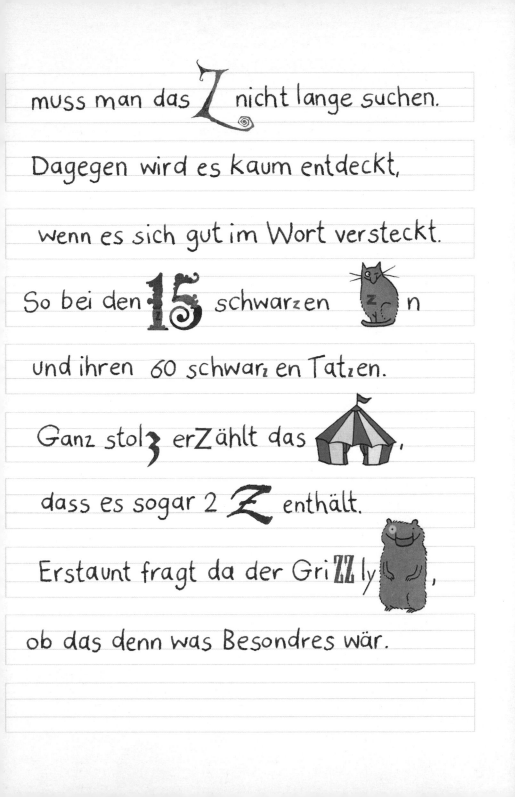,

ob das denn was Besondres wär.

Das Klassen-ABC

Axel boxt Christian.

Dieser ergreift Friedrichs

gelben Hosenträger.

Ingo jagt Klaus.

Ludwig m/eckert natürlich.

Oliver Pullmann quält Rudi

Sopper.

Theo Unterbricht Voller Wut.

Xaver Yakobi Zetert.

Sehr Schön!

Willkommen in der **Büchersterne** ⭐ ⭐ Rätselwelt

Hast du Lust auf noch mehr

Lesespaß?

Die kleinen Büchersterne 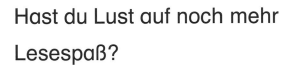 haben

sich tolle Rätsel und spannende

Spiele für dich ausgedacht.

Auf der nächsten Seite geht es

schon los!

Wir wünschen dir viel Spaß!

Lösungen auf Seite 54-55

 Gabriel ist ziemlich **klein**.
Er möchte gerne größer sein.

 Der **Engel** steht jetzt auf dem Schrank.

 Das **Xylofon**, ein Instrument, das in der Klasse jeder kennt.

 Zunächst mal lernen wir die **Zahlen**.

Büchersterne

2

1

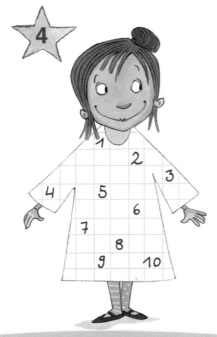

4

1
2
3
4 5
6
7
8
9 10

3

41

Kannst du diese Kinder im Buch finden? Schreibe ihre Namen auf!

A n n a

J a n

N e l e

Büchersterne-Rätselwelt

Büchersterne

karl

Tim

Paul

43

Kannst du die Spiegelschrift erkennen?

Chinese

Chinese _____

Kavalier

Kavalier

Büchersterne

Jule

JuLe

Mein Tipp:

Nimm einen Spiegel zu Hilfe!

Mappe

Mappe

45

Im unteren Bild sind 5 Fehler. Kannst du sie alle finden?

Büchersterne-Rätselwelt

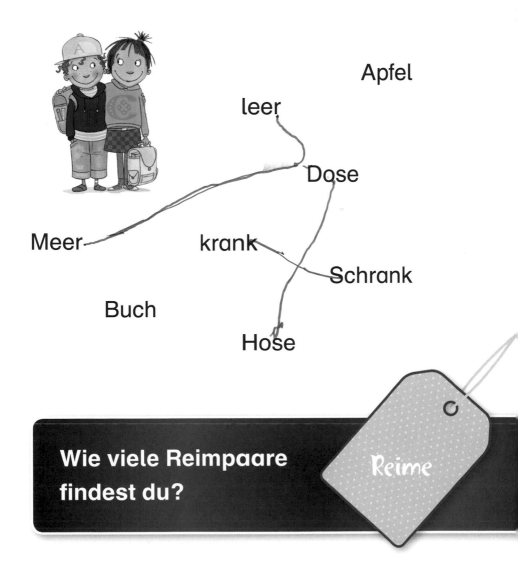

Apfel

leer

Dose

Meer

krank

Schrank

Buch

Hose

Wie viele Reimpaare findest du?

Reime

Wer von euch findet zuerst 4 Wörter, die sich auf die gezeigten Begriffe reimen?

Du brauchst:

1 **Würfel**
2 **Spielfiguren**
7 **Kieselsteine**

Büchersterne

Spiel für zwei:
Würfelt abwechselnd! Findest du ein REIMWORT? Dann lege in deinem Feld einen Stein ab.

49

Wort-salat

Hier sind die Wörter durcheinandergeraten. Kannst du sie ordnen?

l l l
e B i
r

B r i l l e

W e c k e r

k e e
c r e
W

a
l B
l

B a l l

Büchersterne

A	R	J	T	J	I	K	T	V	R
B	H	S	K	A	P	M	Z	M	Z
U	E	L	C	C	I	T	L	W	E
N	V	V	T	K	P	L	Z	Q	N
M	Z	M	E	E	T	L	P	Y	G
O	P	A	R	E	V	B	C	A	E
P	I	Q	T	W	M	O	T	B	L
B	U	C	H	T	E	D	V	Z	E
R	N	E	Z	D	Q	R	M	P	W
V	T	A	P	I	Y	T	W	K	P
M	A	P	F	E	L	O	Q	I	N

Hier haben sich
5 Wörter versteckt.
Findest du sie alle?

Gitter-
Rätsel

Welche Wörter verstecken sich hier?
Finde das Lösungswort!

```
          A                                    F
     K  [ ]  A   N   K                         L
          M                                    Ö
          R                                    T
          E          N   O   T   [ ]
          N
     S  I [ ]  G   E   N
          E
          N
```

Büchersterne

```
                E
    D           N
        N       N       L   A   N   D   D
    C           E
    K           L
    E
```

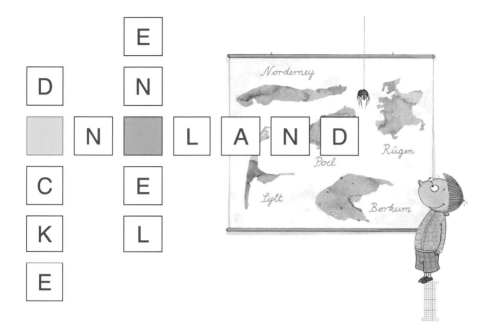

LÖSUNGSWORT:

Seite 47 · Reime
3 Reimpaare:
krank – Schrank
Dose – Hose
Meer – leer

Seite 50 · Wortsalat
Brille
Wecker
Ball

Seite 51 · Gitter-Rätsel
Opa, Jacke, Engel, Buch, Apfel

Seite 52-53 · Wortkreuze
Lösungswort: REGEN

Rätsel-Lösungen

Alle Rätsel gelöst?
Hier findest du die
richtigen Antworten.

Seite 40-41 · Bildsalat
Gabriel ist ziemlich klein. Er möchte gerne
größer sein. = Bild 1

Der Engel steht jetzt auf dem Schrank. = Bild 3

Das Xylofon, ein Instrument, das in der Klasse
jeder kennt. = Bild 2

Zunächst mal lernen wir die Zahlen. = Bild 4

Seite 42-43 · Wer bin ich?
Anna, Jan, Nele, Karl, Tim, Paul

Seite 44-45 · Spieglein, Spieglein
Chinese, Kavalier, Jule, Mappe

Seite 46 · Fehlerbild

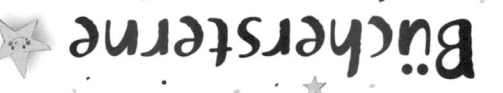

Lesespaß für Schulanfänger

Manfred Mai
**Blitz, der Fußball-Hund.
Torjäger gesucht**
ISBN 978-3-7891-2353-5

Paul Maar
Das Tier-ABC
ISBN 978-3-7891-2355-9

Manfred Mai
Blitz, der Fußball-Hund
ISBN 978-3-7891-2349-8

Paul Maar
Der Buchstaben-Zauberer
ISBN 978-3-7891-2372-6

Oetinger

Alle Informationen unter:
www.buechersterne.de und www.oetinger.de

Lesespaß für Leseanfänger

Muffelfurz-gut!
Hier kommen die Olchis!

Das didaktische Konzept zu **Büchersterne**
wurde mit Prof. Dr. Manfred Wespel, Pädagogische Hochschule
Schwäbisch Gmünd, entwickelt.

MIX
Papier aus verantwor-
tungsvollen Quellen
FSC® C002795
FSC
www.fsc.org

© 2013 Verlag Friedrich Oetinger GmbH,
Poppenbütteler Chaussee 53, 22397 Hamburg
Titelbild und farbige Illustrationen von SaBine Büchner
Einband- und Reihengestaltung von Manuela Kahnt,
unter Verwendung der Sternvignetten von Heike Vogel
Die Gedichte *Walli schreibt langsam* und *Das Klassen-ABC*
sind entnommen aus *Jaguar und Neinguar. Gedichte von Paul Maar*
(S. 10 und 123), © Verlag Friedrich Oetinger GmbH, Hamburg 2007
Der letzte Buchstabe ist entnommen aus *Kreuz und Rüben, Kraut
und quer. Das große Paul Maar-Buch* (S. 236),
© Verlag Friedrich Oetinger GmbH, Hamburg 2004
Druck und Bindung: SIA Livonia Print,
Ventspils iela 50, LV-1002, Riga, Latvia
Printed 2016
ISBN 978-3-7891-1253-9

www.oetinger.de
www.buechersterne.de